Pour la première fois

CHEZ LE DOCTEUR

KATE PETTY
et
LISA KOPPER

Éditions Gamma – Éditions Héritage Inc.
Paris – Tournai – Montréal

Aujourd'hui, Papa emmène Paul chez le docteur.
Paul n'est pas malade, mais une visite
médicale de temps à autre permet
de s'assurer qu'il est en bonne santé.

"Bonjour, Paul", dit la réceptionniste.
"Va t'asseoir avec ton Papa dans la salle
d'attente et le docteur t'appellera
quand ce sera ton tour."

Papa et Paul trouvent deux chaises libres.
Ils enlèvent leurs manteaux et leurs écharpes.
Papa prend Stéphanie sur ses genoux
pendant que Paul jette un coup d'oeil
sur les jouets.

L'attente est longue, et Stéphanie s'endort.
Puis, c'est enfin le tour de Paul.
Papa dépose Stéphanie dans sa poussette et
accompagne Paul dans le cabinet du docteur.

Le cabinet est plein de choses intéressantes.
"Pourquoi l'ours en peluche a-t-il un bandeau
sur l'oeil?" se demande Paul
tandis que le docteur parle avec Papa.

"Quels beaux souliers tu as, Paul!
Peux-tu les enlever tout seul?
Nous allons voir combien tu mesures."
Paul les enlève . . . à sa manière!

Paul se dresse sur la pointe des pieds.
Oh! oh! il ne faut pas tricher!
Paul mesure exactement un mètre.
Un peu plus de la moitié de la taille de Papa.

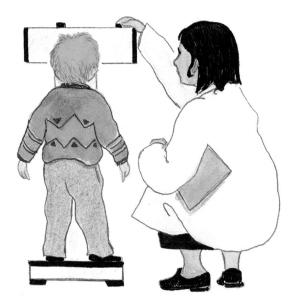

Le docteur va maintenant peser Paul.
Debout sur la balance, Paul sent bouger
le plateau sous ses pieds.
Le chiffre indique vingt kilos.

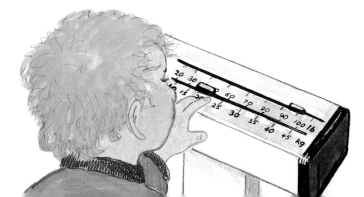

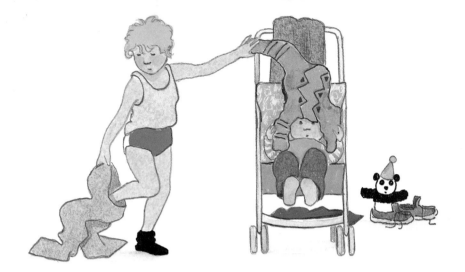

Paul enlève ensuite ses vêtements,
et le docteur lui palpe le ventre.
"Je parie que tu as mangé des céréales
au petit déjeuner", dit-elle en souriant.

Puis, le docteur lui demande de sauter.
Paul ne se fait pas prier, car il adore sauter!
Après, elle lui dit d'aller chercher l'ours
au bandeau. Paul se demande pourquoi.

ÉCOLE KENSINGTON
6905 BOUL. MARICOURT
ST. HUBERT, QUÉBEC J3Y 1T2

Le docteur veut vérifier si Paul voit bien.
Elle montre des lettres du tableau
et Paul doit indiquer les mêmes lettres
sur la grande carte qu'il a en main.

Paul le pirate entend-il bien?
Le docteur dit à voix basse:
"Montre-moi le poisson, Paul. Très bien.
Maintenant, le bateau, puis la voiture."

Paul a déjà vu un stéthoscope.
Il en a un à la maison, dans sa trousse-jouet.
Le docteur écoute les battements du coeur,
puis la respiration.

Pour examiner la gorge de Paul,
le docteur s'éclaire d'une petite lampe.
Elle fait de même pour les oreilles.
Paul trouve les oreilles de Papa
bien compliquées.

Le docteur va faire à Paul une piqûre
qui le protégera de maladies graves.
Elle lui frotte le bras avec
un tampon d'ouate froid et humide.

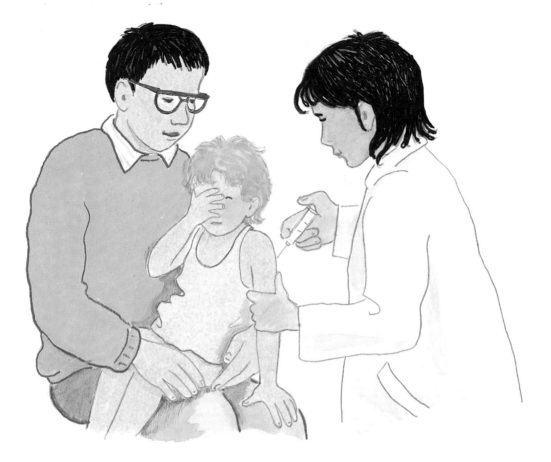

Paul a décidé d'être brave.
La piqûre fait un tout petit peu mal,
mais la douleur est vite passée
et Paul est très fier de lui.

La visite est terminée.
Le docteur appelle le patient suivant.
Paul a hâte de rentrer à la maison
pour jouer au docteur avec sa propre trousse.

Paul a fait une piqûre à Nounours
et à tous ses autres amis.
Mais aucun ne s'est montré aussi courageux
que lui, lors de sa visite chez le médecin!

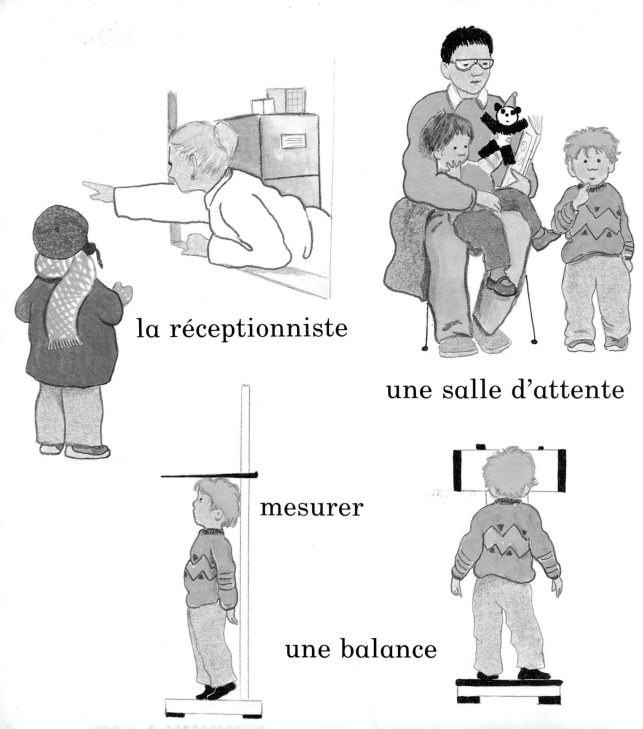

la réceptionniste

une salle d'attente

mesurer

une balance